CINDERELA

CLÁSSICOS ILUSTRADOS

MAURICIO DE SOUSA

ERA UMA VEZ UM HOMEM MUITO RICO E VIÚVO, QUE VIVIA EM COMPANHIA DE SUA ÚNICA FILHA. ELA ERA UMA LINDA MENINA DE CORAÇÃO MUITO BONDOSO.

UM DIA, O TAL HOMEM RESOLVEU CASAR-SE NOVAMENTE, E A MULHER QUE ESCOLHEU LEVOU PARA O SEU LAR DUAS FILHAS DE CORAÇÕES AMARGOS E IMPIEDOSOS.

AS DUAS MALVADAS TROCARAM O BELO VESTIDO DA ÓRFÃ POR UMA ROUPA VELHA E RASGADA E A OBRIGARAM A ANDAR DESCALÇA E DORMIR NA COZINHA. COMO ELA VIVIA

SEMPRE NO MEIO DAS CINZAS DO FOGÃO,
PASSARAM A CHAMÁ-LA DE CINDERELA*.

* Em inglês, cinzas é *cinder*. Daí o apelido Cinderela.

O PAI DE CINDERELA PRECISOU VIAJAR E PERGUNTOU ÀS GAROTAS O QUE QUERIAM QUE TROUXESSE PARA ELAS. AS ENTEADAS PEDIRAM BELOS VESTIDOS E PEDRAS PRECIOSAS. CINDERELA PEDIU APENAS O PRIMEIRO GALHO QUE TOCASSE EM SEU CHAPÉU, QUANDO ELE ESTIVESSE VOLTANDO PARA CASA.

NA VOLTA DA VIAGEM, QUANDO ATRAVESSAVA UM BOSQUE A CAVALO, UM GALHO DE AVELEIRA ARRANCOU O CHAPÉU DO PAI DE CINDERELA. ELE CORTOU E LEVOU AQUELE GALHO DE PRESENTE PARA A FILHA.

AO RECEBER A AVELEIRA, A JOVEM A PLANTOU NO TÚMULO DA MÃE E CHOROU TANTO, QUE REGOU COM LÁGRIMAS AQUELA MUDA. A PLANTA CRESCEU E SE TRANSFORMOU EM UMA LINDA ÁRVORE.

CERTO DIA, UM REI ANUNCIOU QUE IA DAR

UM BAILE NO PALÁCIO, PARA QUE O SEU FILHO ESCOLHESSE UMA NOIVA. CINDERELA PASSOU HORAS ARRUMANDO SUAS IRMÃS MALVADAS PARA O GRANDE EVENTO.

A POBRE MENINA PEDIU MUITO PARA IR AO BAILE, MAS A MADRASTA DISSE A CINDERELA QUE ELA ERA MALTRAPILHA E FARIA SUA FAMÍLIA PASSAR VERGONHA.

CINDERELA FOI AO TÚMULO DE SUA MÃE E, DEBAIXO DA AVELEIRA, CHOROU SEM PARAR ATÉ QUE, DE REPENTE, UMA AVE LANÇOU-LHE DO ALTO UM VESTIDO ENFEITADO DE OURO E PRATA E SAPATINHOS DE CRISTAL.

A JOVEM APARECEU NA FESTA TÃO LINDA E RICAMENTE VESTIDA QUE O PRÍNCIPE DANÇOU SOMENTE COM ELA.

À MEIA-NOITE, CINDERELA FOI EMBORA, MAS PERDEU UM DOS SAPATOS.

O PRÍNCIPE APANHOU O PEQUENO SAPATO E DISSE AO SEU PAI QUE SÓ SE CASARIA COM A DONA DAQUELE SAPATINHO. MAS ANTES PRECISARIA ENCONTRÁ-LA.

O JOVEM VISITOU QUASE TODAS AS FAMÍLIAS DO REINO. SÓ FALTAVA A CASA DE CINDERELA.

A FILHA MAIS VELHA DA MADRASTA TENTOU CALÇAR O SAPATINHO, MAS ELE ERA PEQUENO DEMAIS PARA O SEU PÉ.

O PRÍNCIPE PEDIU QUE A OUTRA IRMÃ TAMBÉM CALÇASSE O SAPATO, MAS O CALCANHAR NÃO ENTROU.

ENTÃO, O PRÍNCIPE PERGUNTOU SE O HOMEM TINHA OUTRA FILHA E, A CONTRAGOSTO DA MADRASTA, CINDERELA FOI CHAMADA.

CINDERELA CALÇOU O SAPATINHO E, QUANDO SE LEVANTOU, O PRÍNCIPE LOGO A RECONHECEU. OS DOIS PARTIRAM EM SEU CAVALO E FORAM FELIZES PARA SEMPRE!